Zermatt

Beat P. Truffer

Zermatt

Translation: Mirjam Steinmann/Beat P. Truffer
Traduction: Silvia et Daniel Beney/Beat P. Truffer
Traduzione: Monica e Franco Passini

Aroleit-Verlag

1. Auflage 1992
Copyright 1992 by Aroleit-Verlag
Aroleit-Verlag, Haus Saphir, CH - 3920 Zermatt
All rights reserved

Alle Fotos: Beat P. Truffer
Umschlaggestaltung: Beat P. Truffer
Lithos: MAGMA Fotolithos AG
Druck: Schaer Thun AG, Uetendorf
Printed in Switzerland

ISBN 3-905097-08-7

Bild auf der Rückseite: Station Gornergrat

Matterhorn (4477,8 m) im Abendlicht
Last sunlight at the Matterhorn (14 687 ft.)
Soleil couchant sur le Cervin (4477,8 m)
Il Cervino (4477,8 m) al tramonto

Geschichtliches über Zermatt

Bereits zur Römerzeit diente der Theodulpass bei Zermatt als Alpenübergang. Dies beweisen Münzenfunde auf der Passhöhe. Weitere Funde belegen, dass Zermatt eine urgeschichtliche Topfwerkstätte besass.

Zum ersten Mal wurde Zermatt 1280 in einem Dokument (Kaufbrief) erwähnt. Ab dem 14. Jahrhundert war das Dorf am Matterhorn ein Knotenpunkt vieler Handelswege. Die Einwohner waren während vieler Jahre verschiedenen Herren untertan. Im Jahre 1618 konnten sich die letzten Zermatter ihre Freiheit erkaufen. Sie lebten hauptsächlich von der Landwirtschaft.

Um 1780 kamen die ersten Fremden (Naturwissenschaftler) nach Zermatt. 1838 entstand das erste Gasthaus mit drei Betten. Mit dem Erwachen des Hochalpinismus besuchten dann jedes Jahr mehr Leute Zermatt. Bereits Ende 1854 gab es im Dorf drei Gasthäuser mit insgesamt 67 Betten. Von 1858 bis 1862 erbaute man eine Fahrstrasse von St. Niklaus nach Zermatt.

Als einer der letzten Viertausender der Alpen wurde 1865 das Matterhorn erstbestiegen. Im Juli 1891 erreichte der erste Zug Zermatt. 1892 errichtete man im Matterhorndorf eines der ersten Elektrizitätswerke der Schweiz. Schon 1898 wurde die Gornergratbahn als höchste Bergbahn Europas eröffnet. Die Bahnen fuhren aber vorläufig nur im Sommer.

Um die Jahrhundertwende wurde in Zermatt zum ersten Mal skigefahren. Der eigentliche Start zur Wintersaison vollzog sich erst im Dezember 1927. Damals fuhr die Gornergratbahn erstmals im Winter bis Riffelalp. Die grosse Entwicklung Zermatts zu einem führenden Weltkurort ist aber erst ab Ende der fünfziger Jahre zu suchen. Dies war der Beginn des Ausbaus der drei grossen Skigebiete und der Erstellung zahlreicher Hotels und Ferienwohnungen. Im Winter 1979/80 nahm die Klein-Matterhorn-Bahn als höchste Luftseilbahn Europas ihren Betrieb auf.

Heute hat Zermatt 4751 Einwohner (Stand: 1.11.1991), während 1798 600, 1850 369 und 1900 741 Einwohner gezählt wurden. Im Rekordjahr 1990 konnte man 1 706 385 Logiernächte verbuchen.

Historical outline of Zermatt

Coins that were found at the summit of the Theodulpass near Zermatt prove that, already in the Roman age, this pass served as a route across the Alps. Further discoveries witness that in early history pottery was produced in Zermatt.

Our first mention of Zermatt is in a purchase-deed dated 1280. From the 14th century on, the village at the foot of the Matterhorn was a main crossroads of many trade routes. For many years the inhabitants were subject to various masters. In the year 1618 the last inhabitants of Zermatt were able to buy their liberty. They lived almost exclusively on their own agricultural products.

In 1780 the first foreigners (natural scientists) came to Zermatt. In 1838 the first guesthouse with three beds was opened. With the awakening of high Alpine climbing the number of visitors to Zermatt increased from year to year. Already at the end of 1854 there were three guesthouses with a total of 67 beds in the village. During the years from 1858 to 1862 a road was constructed from St. Niklaus to Zermatt.

The Matterhorn was one of the last summits higher than 14 000 ft. in the Alps to be conquered. The first ascension took place in 1865. In July 1891 the first train reached Zermatt. 1892 one of Switzerland's very first power stations was erected in the village of Zermatt. Already in 1898 the Gornergrat funicular, at the time the highest mountain railway, was put into operation. At first, however, this railway was only operative in summer.

At the turn of the century skiing was taken up for the first time in Zermatt. The actual start to a winter season was not until december 1927 when the Gornergrat railway reached Riffelalp for the first time in winter. The most important period of Zermatt's development to a world-known resort, however, only commenced towards the end of the fifties. This was the beginning of the expansion of the three skiing resorts and the construction of numerous hotels and holiday flats. The Klein Matterhorn cable car, the highest cable car in Europe, was inaugurated in the winter of 1979/80.

Today Zermatt has 4751 inhabitants (as at 1.11.1991); (1798: 600/1850: 369/1900: 741). In the record year of 1990 1 706 385 overnight stays were registered.

Historique sur Zermatt

Déjà du temps des romains le col du Théodule près de Zermatt servait comme passage à travers les Alpes. C'est la découverte de pièces de monnaie sur les hauteurs du col qui le prouvent. D'autres découvertes ont confirmé que Zermatt possédait un atelier de poterie à l'époque préhistorique.

Pour la première fois, en 1280, Zermatt fut mentionné, dans un document (acte de vente). Dès le 14ème siècle le village au pied du Cervin était un croisement de nombreux chemins de marchands. Les habitants ont été assujettis pendant plusieurs siècles à différents seigneurs, mais en 1618, les derniers zermattois on pu acheter leur liberté. Ils vivaient principalement de l'agriculture.

En 1780 les premiers étrangers sont arrivés à Zermatt (naturalistes). 1838, vit l'ouverture de la première auberge avec trois lits. Avec le début de l'alpinisme de haute montagne, les touristes visitaient de plus en plus Zermatt; déjà à fin 1854 il existait dans le village trois auberges avec 67 lits. De 1858 à 1862, l'on construisit une route reliant St-Nicolas à Zermatt.

Comme l'un des derniers quatre-mille des Alpes, le Cervin a été escaladé en 1865 pour la première fois. En juillet 1891 le premier train arriva à Zermatt et en 1892, on mit en service dans le village du Cervin, une des premières centrales électriques de la Suisse. Déjà en 1898 le chemin de fer du Gornergrat était connu comme le train de montagne le plus haut d'Europe, mais il ne fonctionnait provisoirement que durant l'été.

Vers la fin du 19ème siècle, on fit pour la première fois du ski à Zermatt, mais le véritable début de la saison d'hiver eut lieu seulement en décembre 1927. A cette époque le chemin de fer du Gornergrat fonctionna pour la première fois en hiver jusqu'à Riffelalp. Toutefois, le grand développement de Zermatt qui est actuellement un lieu villégiature connu dans le monde entier, ne commence qu'à la fin des années 50. Ce fut le début de l'exploitation des trois grandes domaines skiables et de la construction de nombreux hôtels et appartements de vacances. En hiver 1979/80 la télécabine du Petit Cervin, connu comme la plus haute d'Europe, entra en fonction.

Aujourd'hui Zermatt compte 4751 habitants (état au 1.11.91); par contre en 1798, on en dénombrait 600, en 1850 seulement 369 et en 1900 741. En 1990, année record, on a comptabilisé 1 706 385 nuitées.

Storia di Zermatt

Già ai tempi Romani il passo Theodul presso Zermatt serviva come valico alpino. Ciò ci è dimostrato grazie ai vari ritrovamenti di monete avvenuti su questo passo. Altri ritrovamenti dimostrano che a Zermatt c'era un'officina di vasi preistorici.

Zermatt venne menzionata la prima volta in un documento (atto di compera) che risale al 1280 A partire dal 14mo secolo il paesello ai piedi del Cervino divenne il punto convergente di una rete di strade commerciali. Per molti anni gli abitanti erano sottomessi ai vari padroni e signori. Nel 1618 gli ultimi abitanti di Zermatt poterono comprarsi la libertà. Essi vivevano principalmente dell'agricoltura.

Attorno al 1780 i primi visitatori stranieri (scienziati) arrivarono a Zermatt. Nel 1838 troviamo i primo albergo, il quale poteva alloggiare tre persone. Con il risveglio della passione per l'alpinismo d'alta montagna, sempre più gente visitava Zermatt. Nel 1854 c'erano in paese ben tre alberghi che complessivamente potevano dare ospitalità a 67 persone. Dal 1858 al 1862 si costruì una carrozzabile tra St. Niklaus e Zermatt.

La vetta del Cervino, uno degli ultimi quattromila delle Alpi, fu conquistata nel 1865. Nel luglio del 1891 il primo treno arrivò a Zermatt. Nel 1892 troviamo nel paese ai piedi del Cervino una delle prime aziende elettriche della Svizzera. Nel 1898 fu inaugurata la ferrovia del Gornergrat «Gornergratbahn», la più alta ferrovia alpina d'Europa. Questi impianti erano in funzione solamente in estate.

Verso la fine del secolo scorso si cominciò per la prima volta a praticare lo sci a Zermatt. Il vero e proprio inizio concernente l'attività turistica invernale s'ebbe nel dicembre del 1927. Allora il trenino del Gornergrat viaggiò per la prima volta anche in inverno fino a Riffelalp.

Il grande sviluppo di Zermatt quale stazione climatica di fama mondiale cominciò solamente alla fine degli anni cinquanta. Questo fu l'inizio della costruzione dei tre grandi centri sciistici e in seguito all'edificazione di numerosi alberghi e appartamenti di vacanza.

Nell'inverno 1979/80 entrò in funzione l'impianto di risalita del Piccolo Cervino la più alta funivia d'Europa.

Oggi Zermatt conta 4751 abitanti (1.11.91), mentre nel 1798 gli abitanti erano 600, 1850 369 e nel 1900 741. Nel 1990 si raggiunse il primato di ben 1 706 385 pernottamenti.

Das Oberdorf (Dorfteil von Zermatt)

The Oberdorf (upper village; part of the village of Zermatt)

Oberdorf (partie du village de Zermatt)

Oberdorf (la parte superiore di Zermatt)

Die meisten Leute erreichen Zermatt mit dem Zug (Zermatt-Bahn)
Most people reach Zermatt by train (Zermatt Railway)
La plupart des gens arrivent à Zermatt avec le train (chemin de fer de Zermatt)
La maggior parte della gente giunge a Zermatt con il treno (Zermatt-Bahn)

In der Bahnhofstrasse von Zermatt
The main road of Zermatt
Dans la rue principale de Zermatt
Nella via principale a Zermatt

Klein-Matterhorn-Bahn – höchste Luftseilbahn der Alpen
Klein Matterhorn cable car – highest cable car in the Alps
Téléférique du Petit Cervin – le plus haut des Alpes
La più alta funivia delle Alpi la troviamo sul Piccolo Cervino

Aussichtsplattform auf dem Kleinen Matterhorn
View point at Klein Matterhorn
Plate-forme panoramique au sommet du Petit Cervin
Punto di vista panoramico sul Piccolo Cervino

Das Matterhorn spiegelt sich im Grindjisee
The Matterhorn's reflection in the Grindji Lake
Le Cervin se reflète dans le lac de Grindji
Il Cervino si specchia nel lago Grindji

Auf dem Weg zur Fluhalp. Im Hintergrund Strahlhorn (l.) und Adlerhorn
On the hiking path to Fluhalp. In the background Strahlhorn (l.) and Adlerhorn
Sur le chemin de Fluhalp. A l'arrière-plan le Strahlhorn (g.) et l'Adlerhorn
In viaggio verso Fluhalp. Sullo sfondo il Strahlhorn (s.) e l'Adlerhorn

Der Weiler Zmutt
The hamlet of Zmutt
Le hameau de Zmutt
Il casale Zmutt

Murmeltier
Marmot
Marmotte
Marmotta

Blick von Zmutt zu Rimpfischhorn (l.) und Strahlhorn
View from Zmutt to Rimpfischhorn (l.) and Strahlhorn
Vue de Zmutt sur le Rimpfischhorn (g.) et le Strahlhorn
Uno sguardo da Zmutt verso il Rimpfischhorn (s.) e il Strahlhorn

Monte Rosa (4634 m) im Morgenrot
Monte Rosa (15 200 ft.) at dawn
Le Mont Rose (4634 m) à l'aurore
Il Monte Rosa (4634 m) all'alba

Sonnenaufgang am Matterhorn vom Gornergrat gesehen
Sunrise at the Matterhorn, view from Gornergrat
Lever du soleil au Cervin, vu depuis Gornergrat
Il Cervino all'alba, visto dal Gornergrat

Der Weiler Findeln mit Matterhorn
The hamlet of Findeln with Matterhorn
Le hameau de Findeln avec le Cervin
Il casale Findeln con il Cervino

Eine Kuh zwischen Alpenrosensträuchern
A cow between alpenroses
Une vache dans les rhododendrons
Una mucca tra i rododendri

Hörnlihütte (r.) und Hotel Belvédère vor dem Matterhorn
Hörnli Hut (r.) and Hotel Belvédère in front of the Matterhorn
Cabane de Hörnli (d.) et hôtel Belvédère devant le Cervin
La capanna Hörnli (d.) e l'albergo Belvédère davanti al Cervino

Weisshorn (4505 m) von der Kumme gesehen
Weisshorn (14 776 ft.), view from Kumme
Weisshorn (4505 m), vu depuis Kumme
Il Weisshorn (4505 m), visto dal Kumme

Das Hinterdorf (alter Dorfteil von Zermatt)
The Hinterdorf (an old part of the village of Zermatt)
Hinterdorf (vieille partie du village de Zermatt)
Hinterdorf (la parte vecchia di Zermatt)

Obergabelhorn (l.) und Wellenkuppe im ersten Sonnenlicht
Obergabelhorn (l.) and Wellenkuppe at dawn
Obergabelhorn (g.) et Wellenkuppe au lever du soleil
L'Obergabelhorn (s.) e il Wellenkuppe al primo bagliore di sole

Zermatt im Winter
Zermatt in winter
Zermatt en hiver
Zermatt in inverno

Matterhorn von Furgg gesehen
Matterhorn, view from Furgg
Le Cervin vu de Furgg
Il Cervino, visto dal Furgg

1	2
3	4

1 Oberdorf   2 die katholische Kirche   3 Kirchplatz   4 die Dorfbibliothek

1 The Oberdorf   2 the catholic church   3 the church square   4 the local library

1 Oberdorf   2 L'église catholique   3 La place de l'église   4 La bibliothèque

1 Oberdorf   2 la chiesa cattolica   3 il sagrato della chiesa   4 la biblioteca comunale

Der Murmeltierbrunnen auf dem Kirchplatz
The marmot fountain in the church square
La fontaine des marmottes sur la place de l'église
La fontana delle marmotte sul sagrato della chiesa

Die Findelenbachbrücke der Gornergratbahn mit Matterhorn
The Findelenbach Bridge of the Gornergrat Railway with Matterhorn
Le pont de Findelenbach du chemin de fer du Gornergrat avec le Cervin
Il ponte ferroviario del Gornergrat chiamato Findelenbach con il Cervino

Auf dem Gornergrat. Im Hintergrund Dent Blanche (l.), Obergabelhorn, Wellenkuppe und Zinalrothorn
At Gornergrat. In the background Dent Blanche (l.), Obergabelhorn, Wellenkuppe and Zinalrothorn
Au Gornergrat. A l'arrière-plan la Dent Blanche (g.), l'Obergabelhorn, la Wellenkuppe et le Zinalrothorn
Sul Gornergrat. Sullo sfondo il Dent Blanche (s.), l'Obergabelhorn, il Wellenkuppe e il Zinalrothorn

1	2
3	4

1 Flockenblume (Centaurea)   2 Männertreu (Nigritella nigra)   3 Schöterich (Erysimum)   4 Herbstzeitlose (Colchicum autumnale)
1 Knapweed   2 Black vanilla orchid   3 Treacle mustard   4 Autumn crocus (Meadow saffron)
1 Centaurée   2 Nigritelle noirâtre   3 Erysimum   4 Colchique d'automne
1 Centaurea   2 Nigritella (Morettina)   3 Erisimo   4 Colchico autunnale

Lamm
Lamb
Agneau
Un agnello

In der Gornerschlucht
In the Gorner Gorge (canyon)
Dans les gorges du Gorner
Nella gola del Gorner

Erstes Sonnenlicht am Matterhorn
First sunlight at the Matterhorn
Premiers rayons de soleil au Cervin
Primo raggio di sole sul Cervino

Auf dem Weg über den Gornergletscher zur Monte-Rosa-Hütte
On the hiking path over the Gorner Glacier to the Monte Rosa Hut
Sur le chemin de la cabane Mont Rose, à travers le glacier du Gorner
In cammino sul ghiacciaio del Gorner verso la capanna del Monte Rosa

Monte-Rosa-Hütte
Monte Rosa Hut
La cabane Mont Rose (Bétemps)
La capanna del Monte Rosa

Die Kapelle am Schwarzsee
The chapel by the Schwarzsee
La chapelle de Schwarzsee
La cappella sulla riva di Schwarzsee

Panorama von Klein Matterhorn: Strahlhorn (r.), Rimpfischhorn, Allalinhorn, Alphubel, Täschhorn, Dom
Panorama of Klein Matterhorn: Strahlhorn (r.), Rimpfischhorn, Allalinhorn, Alphubel, Täschhorn, Dom
Panorama depuis le Petit Cervin: le Strahlhorn (d.), le Rimpfischhorn, l'Allalinhorn, l'Alphubel, le Täschhorn, le Dom
Panorama visto dal Piccolo Cervino: Strahlhorn (d.), Rimpfischhorn, Allalinhorn, Alphubel, Täschhorn, Dom

Grosser See auf dem Gornergletscher mit Matterhorn
Big lake on the Gorner Glacier with Matterhorn
Grand lac sur le glacier du Gorner avec le Cervin
Un grande lago sul ghiacciaio del Gorner con il Cervino

Der Gipfel des Matterhorns (4477,8 m)
The top of the Matterhorn (14 687 ft.)
Le sommet du Cervin (4477,8 m)
La cima del Cervino (4477,8 m)

1 Lyskamm   2 Castor (l.) und Pollux   3 Breithorn (l.), Lyskamm, Castor   4 Gletscher unterhalb des Kleinen Matterhorns

1 Lyskamm   2 Castor (l.) and Pollux   3 Breithorn (l.), Lyskamm, Castor   4 Glacier below Klein Matterhorn

1 Lyskamm   2 Castor (g.) et Pollux   3 Breithorn (g.), Lyskamm, Castor   4 Glacier au-dessous du Petit Cervin

1 Lyskamm   2 il Castor (s.) e il Pollux   3 il Breithorn (s.), il Lyskamm, il Castor   4 Ghiacciaio sotto il Piccolo Cervino

Breithorn (4165 m) vom Gornergrat gesehen
Breithorn (13 661 ft.), view from Gornergrat
Le Breithorn (4161 m), vu du Gornergrat
Il Breithorn (4161 m), visto dal Gornergrat

Blick unterhalb von Zmutt zu Dom (l.) und Täschhorn
View from below Zmutt to Dom (l.) and Täschhorn
Au-dessous de Zmutt vue sur le Dom (g.) et le Täschhorn
Sguardo al di sotto di Zmutt verso il Dom (s.) e il Täschhorn

Alte Stadel bei Zum See. Links: typischer Walliser Stadel
Old storage-shack by Zum See. On the left side: typical Walliser storage-shack
Vieux mazots à Zum See. A gauche: mazot valaisan typique
Vecchia baita presso Zum See. A sinistra un tipico fienile vallesano

Riffelsee mit Riffelberg (l.) und Matterhorn
Lake Riffel with Riffelberg (l.) and Matterhorn
Lac de Riffel avec le Riffelberg (g.) et le Cervin
Il lago Riffel con il Riffelberg (s.) e il Cervino

Herbststimmung
Autumn impression
Impression automnale
Atmosfera autunnale

Geissenkehr in der Bahnhofstrasse von Zermatt
Mountaingoats in the main road of Zermatt
Chèvres dans la rue principale de Zermatt
Il passaggio delle capre nella via principale di Zermatt

Das Bergführerdenkmal auf dem Friedhof
The mountain guide memorial at the cemetery
Le monument des guides sur le cimetière
Il monumento dedicato alle guide alpine nel cimitero

Skipiste Kumme. Im Hintergrund: Weisshorn
Ski run Kumme. In the background: Weisshorn
Piste de ski de Kumme. A l'arrière-plan le Weisshorn
La regione sciistica del Kumme. Sullo sfondo il Weisshorn

Obergabelhorn (l.), Wellenkuppe und Dent Blanche beim Aufstieg zum Mettelhorn gesehen
Obergabelhorn (l.), Wellenkuppe and Dent Blanche, view taken during the ascent of the Mettelhorn
Obergabelhorn (g.), Wellenkuppe et Dent Blanche vus de l'ascension du Mettelhorn
L'Obergabelhorn (s.), il Wellenkuppe e il Dent Blanche visti durante l'ascesa al Mettelhorn

Rothornbahn; im Hintergrund: Weisshorn
Rothorn cable car; in the background: Weisshorn
Téléférique du Rothorn; à l'arrière-plan le Weisshorn
La funivia del Rothorn; sullo sfondo il Weisshorn

Der Weg von Roten Boden zur Monte-Rosa-Hütte. Im Hintergrund: Monte Rosa
Hiking path from Roten Boden to the Monte Rosa Hut. In the background: Monte Rosa
Le chemin de Roten Boden à la cabane Mont Rose. A l'arrière-plan: le Mont Rose
Il sentiero che conduce da Roten Boden alla capanna del Monte Rosa. Sullo sfondo il Monte Rosa

Blick talauswärts zu den Berner Alpen
View out of the valley to the Bernese Alps
Vue sur les Alpes Bernoises
Sguardo verso le Alpi Bernesi

Schönbielhütte mit Dent d'Hérens (4171 m)
Schönbiel Hut with Dent d'Hérens (13 681 ft.)
Cabane de Schönbiel avec la Dent d'Hérens (4171 m)
La capanna Schönbiel con il Dent d'Hérens (4171 m)

Alphornbläser vor dem Altersheim
Alphorn players in front of the municipal old people's home
Joueurs de cor des Alpes devant le hôme pour personnes agées
Suonatori del corno delle Alpi davanti alla casa per gli anziani

Die Bahnhofstrasse von Zermatt
The main road of Zermatt
L'avenue de la Gare de Zermatt
La via principale di Zermatt

Obergabelhorn (l.) und Wellenkuppe
Obergabelhorn (l.) and Wellenkuppe
Obergabelhorn (g.) et Wellenkuppe
L'Obergabelhorn (s.) e il Wellenkuppe

Enzian (lat.: Gentiana)
Gentian
Gentiane
Genziana

Dent Blanche (4357 m)
Dent Blanche (14 291 ft.)
La Dent Blanche (4357 m)
Dent Blanche (4357 m)

Steinbock auf Gornergrat
Ibex at Gornergrat
Bouquetin au Gornergrat
Uno stambecco sul Gornergrat

Der Weiler Blatten. Im Hintergrund Dom (l.) und Täschhorn
The hamlet of Blatten. In the background Dom (l.) and Täschhorn
Le hameau de Blatten. A l'arrière-plan le Dom (g.) et le Täschhorn
Il casale Blatten. Sullo sfondo il Dom (s.) e il Täschhorn

Schafe unterhalb von Schwarzsee
Sheep below Schwarzsee
Moutons au-dessous de Schwarzsee
Pecore nei dintorni di Schwarzsee

Beat P. Truffer wurde am 3. August 1965 geboren und wuchs in Zermatt auf. Nach der Matura studierte er Betriebswirtschaft an der Universität Freiburg (Schweiz) und spezialisierte sich im Bereich Marketing. Im März 1991 schloss er sein Studium mit dem Lizentiat ab.

Seine bedeutendsten Freizeitbeschäftigungen sind die Berge und die Fotografie. Bei jeder Bergtour und Wanderung ist ihm seine Minolta-Kamera stets ein treuer Begleiter. Sehr beliebt sind seine Diavorträge «Berg-Impressionen».

Für das vorliegende Buch hat Beat P. Truffer eine kleine Auswahl seiner schönsten Bilder von Zermatt und Umgebung zusammengestellt.

Von Beat P. Truffer sind bereits mehrere Bücher erschienen:

- Die Geschichte des Matterhorns – Erstbesteigungen, Projekte und Abenteuer
- Neues aus Zermatt – 1960 bis heute
- Für Dich – Denkanstösse eines Jugendlichen

Diese Bücher sind in der Buchhandlung oder direkt beim Aroleit-Verlag, Haus Saphir, CH - 3920 Zermatt, erhältlich.

Beat P. Truffer was born on the third of August 1965 in the village of Zermatt where he also spent his youth. After his graduation from High School, he studied economics at the University of Freiburg (Switzerland) and specialized in business management. In March 1991 he attained his licentiate.

Mountains and photography are his main leisure time interests. On every mountain and hiking tour he takes his Minolta-Camera with him. His slide-presentations «Berg-Impressionen» are very popular. For this book Beat P. Truffer put together a small selection of his most beautiful photographs of Zermatt and its vicinity.

Beat P. Truffer has already published other books in english:

- The History of the Matterhorn – First Ascents, Projects and Adventures
- The latest from Zermatt – 1960 to present

These books are available in your bookshop or directly at Aroleit-Verlag, Haus Saphir, CH - 3920 Zermatt.

Beat P. Truffer est né le 3 août 1965 et a grandi à Zermatt. Après sa maturité il a étudié l'économie à l'université de Fribourg et s'est spécialisé dans le Marketing. En mars 1991 il a terminé ses études et obtenu sa licence.

Ses principaux loisirs sont la montagne et la photographie. Lors de chaque tour en montagne et lors de promenades il prend toujours son appareil de photo Minolta avec lui. Ses présentations de diapositives «Berg-Impressionen» sont très appréciées.

Pour ce livre il a sélectionné une petite partie de ses meilleures photos.

Beat P. Truffer a également publié un autre livre en français:

- Nouvelles de Zermatt – de 1960 à nos jours

Ce livre est en vente dans les librairies ou directement chez Aroleit-Verlag, Haus Saphir, CH - 3920 Zermatt.

Beat P. Truffer è nato il 3 agosto 1965 ed è cresciut a Zermatt. Dopo la maturità studia economi all'università di Friborgo (Svizzera) e si specializz nel campo del Marketing. Nel marzo del 1991 con clude i suoi studi con il conseguimento del licen ziato.

Le sue occupazioni preferite durante il temp libero sono la fotografia e le montagne. Durante l sue escursioni e passeggiate la sua macchina foto grafica Minolta è per lui una compagna molt fedele. Con l'aiuto di diapositive «Berg-Impressio nen» (fa delle relazioni riguardanti la bellezza dell montagne), relazioni che vengono molto apprez zate.

In questo libro presentatovi da Beat P. Truffer tro viamo una piccola parte delle sue migliori fotogra fie concernenti Zermatt e dintorni.

Questo è il primo libro di Beat P. Truffer che vien scritto in lingua italiana.